Sous la direction littéraire de
Céline Murcier

QUEL RADIS ! DIS DONC.

Une histoire contée par
Praline Gay-Para

Illustrée par
Andrée Prigent

Didier Jeunesse

Un papi et une mamie ont un jardin

si petit

qu'ils n'ont pu y planter

qu'une seule

graine de radis.

Le radis
grandit,
grandit,
grandit,

*si bien qu'un jour
ses feuilles dépassent la cheminée
et empêchent le soleil de passer.*

Il faut l'arracher !

dit le papi.

Il attrape le radis, il tire, il tire, il tire,

il peut toujours tirer, le radis reste bien accroché !

Le papi appelle la mamie.

La mamie tire le papi, le papi tire le radis,

ils tirent,
ils tirent,
ils tirent,

ils peuvent toujours tirer, le radis reste bien accroché !

La mamie appelle sa petite-fille.

La petite fille tire la mamie,
la mamie tire le papi,
le papi tire le radis,

ils tirent,
ils tirent,
ils tirent,

ils peuvent toujours tirer, le radis reste bien accroché !

La petite fille appelle le chat.

Le chat tire la petite fille, la petite fille tire la mamie,
la mamie tire le papi, le papi tire le radis,

ils tirent,

ils tirent,

ils tirent,

ils peuvent toujours tirer, le radis reste bien accroché !

Le chat appelle la souris.

La souris tire le chat,
le chat tire la petite fille,
la petite fille tire la mamie,
la mamie tire le papi,
le papi tire le radis,

ils tirent,
ils tirent,
ils tirent...

et voici le radis arraché !

Le radis tombe sur le papi,
le papi tombe sur la mamie,
la mamie tombe sur la petite fille,
la petite fille tombe sur le chat,

et tous tombent sur la souris

qui va dans son trou en criant coui, coui, coui !

Et l'histoire  est finie.